D1087787

Catalogage avant publication de Bibliothèque et Archives nationales du Québec
et Bibliothèque et Archives Canada

Tremblay, Carole, 1959-

   Le mystère des jumelles Barnes

   (Collection Zèbre)
   Pour les jeunes de 10 à 14 ans.
   Texte en français seulement.

   ISBN 978-2-89579-383-0

   I. Titre.

PSa89.R394M97 2011   jC843'.54   C2011-941176-8
PS9589.R394M97 2011

Dépôt légal – Bibliothèque et Archives nationales du Québec, 2011
Bibliothèque et Archives Canada, 2011

Réimpression 2018

Direction de collection : Carole Tremblay
Révision : Sophie Sainte-Marie
Conception graphique, couverture et pages intérieures : Kuizin

© Bayard Canada Livres inc. 2011

Financé par le gouvernement du Canada | Canadä

 Conseil des arts   Canada Council
du Canada   for the Arts

Nous remercions le Conseil des arts du Canada de l'aide accordée à notre programme de publication.

Cet ouvrage a été publié avec le soutien de la SODEC. Gouvernement du Québec –
Programme de crédit d'impôt pour l'édition de livres – Gestion SODEC.

Bayard Canada Livres
4475, rue Frontenac, Montréal (Québec) H2H 2S2
Téléphone : 514 844-2111 – 1 866 844-2111
edition@bayardcanada.com
bayardjeunesse.ca

Imprimé au Canada

Offert en version numérique
» 978-2-89579-876-7
numérique   bayardjeunesse.ca

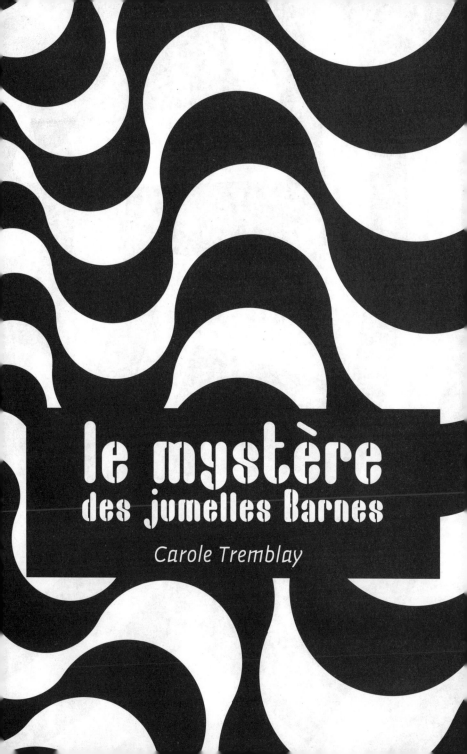

le mystère
des jumelles Barnes

Carole Tremblay

À Gabrielle, Marie, Camille,
Isabelle, Victor, Arnaud,
et Rose-Marie, les vrais
de vrais cousins et cousines

Et à Mado et Raymond
qui leur ont offert
de si merveilleux souvenirs

le mystère
des jumelles Barnes

Carole Tremblay

COLLECTION ZÈBRE

CHAPITRE

1

@ Victor

de : Arnaud

Mauvaise nouvelle, cousin. Je ne pourrai pas
t'accompagner chez les grands-parents cette année pour
les vacances. Mon camp de hockey commence le 25 juin et
finit quelque chose comme le 17 juillet. (À moins que ce ne
soit le 18 ? Ou le 16 ?) En tout cas, ça dure trois semaines.
Je ne peux vraiment pas le rater si je veux faire partie
de l'équipe la saison prochaine. Mon entraîneur m'a dit
(poliment, mais quand même) que j'avais intérêt à travailler
si je ne voulais pas me retrouver dans le pee-wee C. Tu
le sais, j'aimerais mieux m'inscrire à la ligue de quilles du

Club de l'âge d'or que d'être condamné à jouer dans une équipe de gnomes, avec Lemieux comme capitaine. Enfin, bref, c'est à regret que je t'abandonne avec ma sœur, les deux tiennes et les cousines de Québec dans la campagne profonde où vivent nos ancêtres bien-aimés. Quand je serai joueur dans la LNH, je te ferai faire un tour dans ma Jaguar décapotable pour que tu me pardonnes cette erreur de jeunesse...

Bonnes vacances quand même.

Arnaud
P.-S. Si jamais tu as des problèmes, n'hésite pas à m'appeler. Je mettrai mes patins et j'accourrai à ton secours.

Victor ferme sa boîte de courriel et se laisse tomber sur son lit, contrarié. Merde.

Depuis qu'il est tout petit, il se fait une fête de cette semaine de vacances chez ses grands-parents, où tous ses cousins et cousines sont réunis. Les sœurs Lachaîne, dont sa mère est l'aînée, vivent dans trois villes différentes. Les occasions de se voir sont donc plutôt rares. C'est dommage puisque, contrairement aux grandes personnes de cette famille qui trouvent sans cesse de nouvelles raisons de se disputer, les enfants, eux, se sont toujours bien entendus. Victor ne veut pas renoncer à ses vacances parce que son cousin n'y sera pas. Mais il doit bien avouer que l'idée d'être le seul représentant masculin au milieu du troupeau de filles gâche un peu le plaisir de ce rituel estival.

Va-t-il devoir arbitrer des concours de coiffure ?
Sera-t-il soumis à un questionnaire serré sur ses goûts en matière de vernis à ongles ?
Devra-t-il écouter pendant des heures un débat passionnant sur les mérites comparés des tampons et des serviettes hygiéniques ?

Quand ils étaient petits, le fait qu'il y ait cinq filles pour deux garçons n'était pas si grave. Ils allaient à la plage. Ils bricolaient. Ils nourrissaient les poules et les lapins. Mais depuis quelques années, l'écart s'est un peu creusé. Bien sûr, il y a encore des activités où ils s'amusent tous ensemble. Comme ces traditionnelles parties de Monopoly qui durent jusque tard dans la nuit.

(C'est l'avantage des grands-parents sur les parents. Ils ne surveillent ni l'heure du coucher ni la fréquence des brossages de dents. Et on dirait qu'ils n'ont jamais entendu parler du *Guide alimentaire*.)

Il y a aussi ces interminables guerres au fusil à eau où chacun se retrouve mouillé jusque dans les coins les plus reculés de ses sous-vêtements. Évidemment, ils pourraient jouer en maillot de bain, mais le jeu est beaucoup plus drôle quand ils sont tout habillés… C'est sans parler de la classique partie de cache-cache à la nuit tombante, quand les bois autour de la maison commencent à devenir inquiétants et que le jeu consiste plus à faire peur aux petits qu'à se cacher pour de vrai. Mais depuis que les filles portent des soutiens-gorge et du mascara, les choses ont changé. Il y a des moments où elles s'enferment dans la grande pièce aménagée en haut de la grange et passent des heures à discuter et rigoler entre elles. Arnaud et Victor en profitent alors pour aller se lancer un ballon dans le champ ou jouer une partie de billard sur la table que leur grand-père a installée dans l'ancien garage.

Qu'est-ce que Victor va bien pouvoir faire sans Arnaud, pendant que les filles débattront tout l'après-midi pour décider si Mathieu Machin est plus beau que Frédéric Chose ?

Victor repousse d'un geste maussade le livre qui traîne sur son lit. Puis il se lève et va se brancher sur la messagerie instantanée. Comme il s'y attendait, Arnaud est en ligne.

@ Arnaud

de : Victor

Sale traître ! Je vous maudis, toi et ta descendance, jusqu'à la septième génération ! M'abandonner dans le fond des bois avec cinq filles ! Moi qui croyais qu'on était cousins pour la vie !

@ Victor
de : Arnaud

Quand tu seras sur la plage avec cinq filles en maillot, tu penseras à moi, en train de respirer l'air vicié du vestiaire, avec quinze gars en sous-vêtements trempés de sueur. Ça devrait te consoler.

@ Arnaud
de : Victor

Avec tous les produits qu'elles se mettent dans les cheveux, l'air de la chambre des filles n'est pas tellement plus sain que celui de la chambre des joueurs, tu sauras.

@ Victor
de : Arnaud

Parlant de filles, il faut que je t'avoue quelque chose...

@ Arnaud
de : Victor

Tu vas te faire opérer ?

@ Victor

de : Arnaud

Pire.

@ Arnaud

de : Victor

Ne me dis pas que tu t'es fait une blonde ?

@ Victor

de : Arnaud

Genre...

@ Arnaud

de : Victor

Toi ?

@ Victor

de : Arnaud

Bien oui, moi. Une super fille, à part ça.

@ Arnaud

de : Victor

J'espère que tu ne te marieras pas cet été. Je n'ai pas de robe !!!

@ Victor

de : Arnaud

Je t'en prêterai une.

@ Arnaud

de : Victor

Et tu l'as rencontrée où ? Dans tes patins ?

@ Victor

de : Arnaud

Non, en faisant du *géocaching*.

@ Arnaud

de : Victor

Du quoi ?

@ Victor

de : Arnaud

De la géocache. C'est un jeu de chasse au trésor avec des GPS. Tu ne connais pas ça ?

@ Arnaud

de : Victor

Jamais entendu parler. Qu'est-ce que c'est ?

@ Victor

de : Arnaud

Eh bien, lis, je t'ai mis un lien ! Ils ne t'apprennent pas à lire, dans ton collège de *nerds* ?

Zèbre

 Tout

 Images

 Vidéos

 Nouvelles

 Plus

 Envoyer

 Signaler

 Commenter

Retour

Zèbre
Le moteur de recherche
le plus noir et blanc
de la toile

LA GÉOCACHE, LA CHASSE AU TRÉSOR DU XXIᴱ SIÈCLE

La géocache, traduction du mot anglais *geocaching*, est un jeu d'aventures qui s'apparente à une chasse au trésor. Le jeu consiste à découvrir une « cache» à l'aide d'un GPS et d'un ensemble de coordonnées trouvées sur Internet. Ce trésor, préalablement caché par d'autres joueurs, n'a généralement pas une grande valeur. Il n'est qu'un prétexte à s'amuser et à relever des défis. La géocache compte des centaines de milliers d'adeptes partout dans le monde, répartis dans plus de deux cents pays. Vous trouverez la liste des caches de votre région sur le site officiel du jeu : geocaching.com.

@ Arnaud

de : Victor

Et on peut rencontrer de super filles en jouant à un super jeu de scout ?

@ Victor

de : Arnaud

Ça a l'air. Bon, il faut que je te laisse, j'ai un entraînement dans dix minutes. On se reparle avant que je parte pour le camp, d'accord ?

@ Arnaud

de : Victor

Ouais, c'est ça. Adieu, humain pourri.

@ Victor

de : Arnaud

Mais ce que je t'ai dit à propos de Magali, ça reste entre nous, hein ?

@ Arnaud

de : Victor

Oh ! parce que l'heureuse élue s'appelle Magali ?

@ Victor

de : Arnaud

Promis ?

@ Arnaud

de : Victor

Promis ! Je serai muet comme une tombe. À moins que je ne sois menacé par cinq filles armées de produits coiffants. Dans ce cas, je ne peux rien te garantir.

:0p

CHAPITRE

3

Il pleut à torrents quand la voiture de la mère de Victor s'engage sur le chemin de terre qui mène à la maison des grands-parents. Tout autour s'étendent les champs où broutent des vaches sales et détrempées. Le garçon observe le paysage d'un œil morne.

— Arrête de faire cette tête-là, Victor, lance sa sœur Gabrielle. On dirait que tu t'en vas à l'abattoir.

— Ouais, les vacances vont être agréables, avec toi, ajoute Rosa, la plus jeune.

Victor ne prend pas la peine de répondre. L'auto est déjà en train de descendre l'allée de gravier qui aboutit à la grange de ses grands-parents. Le garçon regarde la vieille maison de bois sur laquelle s'abat le déluge. Il voit sa grand-mère qui ouvre la porte. Un immense sourire illumine son visage. Elle attrape un parapluie et court vers la voiture pour accueillir les visiteurs. Son mari la suit, les épaules courbées, dans un geste vain et un peu ridicule pour se protéger de la pluie. D'une main, il salue les nouveaux arrivants ; de l'autre, il maintient la casquette, qu'il ne quitte jamais, enfoncée sur sa tête.

La mauvaise humeur de Victor s'atténue d'un cran. Le garçon sent qu'il sourit malgré lui. Il a tellement de bons souvenirs attachés à ce coin de campagne, à ces séjours en bande sous la supervision un peu lâche, mais pleine d'affection de ses grands-parents qu'il ne peut pas continuer à bouder.

— Vous avez fait bon voyage ? demande sa grand-mère dès que la portière est ouverte.

— Entrez ! Entrez ! On sortira les bagages de l'auto quand il arrêtera de pleuvoir, hurle son grand-père comme si la pluie avait rendu tout le monde sourd.

— Ils annoncent un dégagement pour ce soir, déclare monsieur Lachaîne, aussitôt la porte de la maison refermée.

— Oui, du beau soleil pour demain, confirme son épouse.

— Vingt-six degrés, ajoute le grand-père.

— Avec un petit vent d'ouest, précise la grand-mère.

— Et c'est censé durer toute la semaine, conclut le vieil homme.

Pendant que les adultes se réunissent dans la cuisine pour clore leur passionnante discussion météorologique, Victor et ses sœurs vont rejoindre leurs cousines. Elles sont installées dans les fauteuils du salon. Isabelle, la sœur d'Arnaud, feuillette un magazine, tandis que Camille et Marie, leurs cousines de Québec, disputent une partie d'échecs

Après les brèves salutations et les taquineries habituelles, Gabrielle, dix-sept ans, l'aînée du groupe, propose de profiter de la pluie pour installer le dortoir dans le grenier.

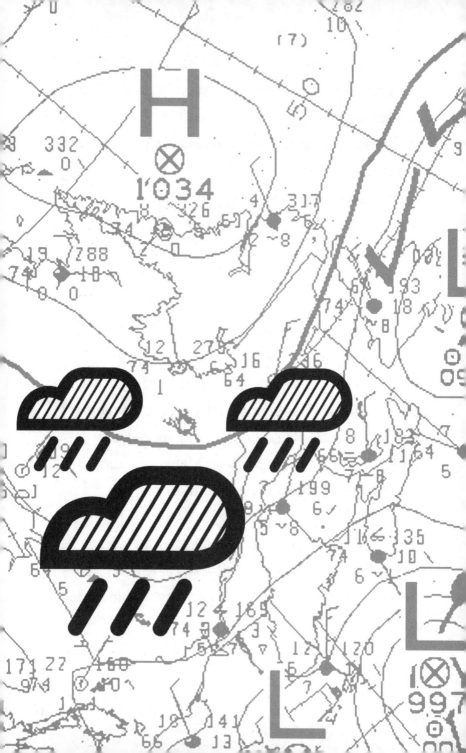

Ils viennent à peine de terminer quand les mères montent dire au revoir à leur progéniture. C'est l'heure solennelle des dernières recommandations. Mais aucune des sœurs Lachaîne n'a le temps d'ouvrir la bouche que Marie lance, dans une imitation très réussie de sa mère :

— Soyez prudents…

— Et polis avec vos grands-parents, ajoute Gabrielle.

— Ne vous couchez pas tous les jours à trois heures du matin, enchaîne Isabelle.

— Une douche de temps en temps ne fait de mal à personne, conclut Camille.

Les trois mères haussent les épaules en souriant.

— Bon, d'accord. On a compris. Amusez-vous bien…

Lorsque la dernière voiture parentale disparaît au bout du chemin, Victor est envoyé en mission chercher des vivres pour nourrir ses sœurs et ses cousines affamées. Quand il arrive dans la cuisine, sa grand-mère s'affaire déjà aux fourneaux pour le souper. Monsieur Lachaîne, assis à la table, tripote un petit appareil.

— Dis donc, jeune homme, sais-tu comment ça marche, ce truc-là ?

— Qu'est-ce que c'est ?

— Un GSP.

— Un GPS, andouille ! rectifie sa femme en s'essuyant les mains sur son tablier. J'ai gagné ça dans un tirage, à l'épicerie du village. Je ne sais pas trop à quoi ça pourra nous servir...

— Surtout que je n'y comprends rien... marmonne monsieur Lachaîne.

Victor attrape l'appareil que lui tend son grand-père.

— Je ne connais pas ça, mais je peux regarder.

— Eh ! Victor, rapporte aussi du jus ! lui ordonne sa sœur depuis le haut de l'escalier.

Son grand-père fait un vague geste de la main.

— Garde-le, tu y jetteras un œil plus tard. De toute façon, je n'ai pas l'intention de me perdre ce soir...

Le garçon glisse l'appareil dans sa poche. Le temps qu'il relève la tête, sa grand-mère est déjà devant lui, deux gros sacs de chips et une immense cruche de jus dans les bras.

— Ton grand-père va t'aider à monter les verres.

— Moi ? s'insurge le vieil homme. Et si je me perds en revenant ? Je n'ai même pas de SPG...

Il doit bien être quatre heures du matin quand les derniers rires s'éteignent dans le dortoir du grenier. Il faut dire que, plus les heures passaient, moins il était nécessaire de faire des blagues pour déclencher l'hilarité des cousins.

En réalité, plus le gag était nul, plus ils riaient.

Pourquoi les cannibales ne mangent jamais de clown?

Parce qu'ils trouvent que ça goûte drôle. Ouaaaaa!

À la fin, une fois toutes les lumières fermées, un seul mot un peu absurde faisait couiner Isabelle. Son rire, à mi-chemin entre le cri de la souris prise dans une trappe et le cochon asthmatique, contaminait tous les autres. Et c'était reparti pour un tour.

Alors que tout le monde était sur le point de sombrer dans le sommeil, Camille, le visage enfoncé dans son oreiller, avait murmuré : « boîte à gants ». Et il avait fallu presque vingt minutes avant que le fou rire collectif s'arrête pour de bon.

Victor s'était endormi le sourire aux lèvres. Finalement, la soirée avec les filles s'était bien déroulée. Ils avaient joué au menteur jusqu'à ce que Marie, lasse de perdre (elle est tellement nulle pour mentir qu'elle devrait être classée handicapée dans ce domaine), décide qu'ils avaient assez joué aux cartes.

Isabelle avait alors raconté une histoire qu'elle avait lue dans un recueil de légendes québécoises.

LE MYSTÈRE DES
JUMELLES
BARNES

Nées en 1836 dans le petit village de Saint-Raymond,
Laura et Lucina Barnes étaient des jumelles inséparables.
Elles ne faisaient rien l'une sans l'autre. Mais cette belle
complicité allait prendre fin de manière dramatique
peu avant le septième anniversaire des deux sœurs.

En effet, on retrouva la petite Lucina morte, égorgée,
dans la forêt derrière sa maison. Ce meurtre n'a
jamais été éclairci. Il a cependant donné lieu à de
nombreuses légendes, notamment sur l'existence d'une
créature diabolique qui hanterait toujours la région.

On dit que la petite Laura demeura traumatisée par la disparition de sa sœur. La rumeur raconte qu'elle continuait à lui parler, comme si elle était toujours vivante. Il lui arrivait de jouer aux dames et aux dominos toute seule en prétendant que Lucina était là, avec elle.

Ses parents, inquiets pour sa santé mentale, l'envoyèrent en pension dans un couvent, près de Sherbrooke. Au même moment, des phénomènes étranges commencèrent à survenir dans la maison. Des pleurs d'enfant déchiraient la nuit. Des objets se déplaçaient ou disparaissaient. La porte de la chambre des jumelles s'ouvrait toute seule et se refermait en claquant.

C'est seulement quand Laura venait en visite dans sa famille que le tintamarre nocturne cessait et que la maison se calmait enfin. Désemparés devant ces manifestations étranges, les parents Barnes décidèrent de laisser Laura revenir vivre à la maison.

Quelques années plus tard, alors que Laura allait avoir quatorze ans, elle disparut une nuit entière. Ses parents, terrorisés, craignirent de la retrouver morte, elle aussi.

Après l'avoir cherchée partout, son père, désespéré, se rendit dans la forêt, à l'endroit précis où l'on avait découvert le cadavre de sa petite Lucina. Laura gisait au sol, inconsciente, mais encore vivante. Cependant, une étrange cicatrice était apparue sur son cou. Une cicatrice longue et fine, comme si on lui avait tranché la gorge...

À partir de ce jour, Laura demanda à sa famille de l'appeler Lucina. Elle déclara que c'était au tour de Laura d'être morte. La jeune fille prétendit qu'elle et sa sœur avaient conclu un pacte avec une mystérieuse créature rencontrée dans la forêt.

La bête, qu'elle refusa de décrire, leur avait promis qu'elles pourraient partager le même corps si elles respectaient une condition qu'il leur était interdit de révéler sous peine de rompre le pacte. Chacune d'elles allait habiter le corps à tour de rôle pendant que l'autre vivrait à ses côtés sous forme de fantôme.

On raconte que cette étrange alternance continua toute leur vie. À intervalles irréguliers, la jumelle disparaissait dans la forêt, puis en revenait au petit matin. Une fois avec la cicatrice sur le cou, une fois la peau lisse et intacte.

Laura Barnes ne s'est jamais mariée et n'a jamais eu d'enfant. Elle a habité la maison familiale jusqu'au moment où, alors qu'elle était âgée de quatre-vingt-dix-huit ans, elle s'est fait prendre dans les bois avec la fille de son voisin. Elle s'apprêtait à lui trancher le cou. Elle délirait en disant que c'était au tour de Lucina de vivre. Qu'elle n'avait pas le choix. Qu'elle devait tuer la petite.

Elle a été arrêtée et mise en prison. Ses aveux ont permis d'élucider de nombreux crimes et accidents bizarres, touchant des petites filles, qui avaient eu lieu dans la région.

— C'était ça, leur truc ? s'était étonnée Marie.
La condition qu'elles devaient remplir ?

— Oui, répondit Isabelle. Pour continuer à vivre, elles devaient apporter à la créature de la forêt le sang d'une fillette de l'âge exact qu'avait Lucina le jour de sa mort.

— C'est quel âge, ça ? s'était renseignée Gabrielle en étouffant un bâillement.

— Je ne sais pas exactement. Un peu avant sept ans.

— Et elles tuaient des petites filles pour avoir leur sang ? avait voulu savoir Rosa, la voix tremblante.

— Pas toujours. Parfois, elles se contentaient de les blesser et de les abandonner dans la forêt. La bête se chargeait de récolter son dû. Il paraît que les âmes des fillettes mortes errent dans la région. Elles apparaissent parfois aux chasseurs et les forcent à retourner leur arme contre eux. C'est pour cette raison que pas un chasseur ne s'aventure sur les terres de la famille Barnes.

— Eh bien, avait fait Marie.

— Et elle est morte, maintenant, la vieille dame ? avait demandé Rosa.

— Je l'espère ! avait lancé Camille. Sinon elle aurait plus de cent soixante-quinze ans !

— Sûrement, avait continué Isabelle. Sauf qu'on n'a pas de preuves. Pendant la guerre, la vieille a été déplacée dans un hôpital psychiatrique à Québec, mais il paraît qu'elle s'en est échappée. On ne l'a jamais retrouvée.

— Quand on pense que cette histoire est partie du village ici, c'est fou, non ? avait conclu Isabelle.

Tout le monde s'était entendu pour dire que c'était complètement dingue. Beaucoup trop dingue pour être vrai. Et après, ils s'étaient tous mis à rigoler.

CHAPITRE
5

Les prédictions météo des grands-parents s'avèrent tout à fait justes. C'est du moins ce que Victor peut constater quand le soleil vient lui chatouiller le visage, le lendemain matin. Couchées sur leurs matelas à même le sol, les cousines dorment toutes profondément.

Le garçon jette un œil à sa montre : huit heures quatorze. Il est prêt à parier que les filles ne se réveilleront pas de sitôt. Il faudra probablement les tirer du lit pour le dîner.

Victor remonte ses couvertures par-dessus sa tête. Avec un peu de chance, il va se rendormir, lui aussi.

— Tu dors, Victor ? souffle une voix ensommeillée dans son dos.

— Oui. Et tais-toi, tu vas me réveiller.

C'est Rosa, forcément. Sa petite sœur est toujours debout avant les autres. C'est un classique. Et comme elle n'aime pas déjeuner toute seule, elle fait toujours du bruit exprès afin d'avoir de la compagnie pour manger ses céréales.

— Victor ? Tu crois qu'elle est vraie, l'histoire des jumelles qu'Isabelle a racontée hier ?

Le garçon soupire. Il n'y échappera pas. Il repousse son drap d'un geste résigné.

— Viens, on va déjeuner. Mais ne fais pas de bruit.

Madame Lachaîne est déjà debout. À voir tout ce qu'il y a sur la table, elle doit s'activer dans la cuisine depuis un moment.

— Bonjour, grand-maman ! dit Rosa en entrant.

— Allô, mes trésors ! Bien dormi ? Tu te lèves tôt, Victor !

— Je me suis sacrifié, soupire le garçon. J'ai descendu la bête avant qu'elle réveille les autres.

— Ce n'est pas vrai. Je ne faisais pas de bruit. Et puis tu ne dormais même pas.

La vieille dame rit. Elle connaît sa petite-fille. Elle sait qu'elle est capable de beaucoup de choses pour obtenir ce qu'elle veut.

— Avez-vous faim ? Voulez-vous des crêpes ? Il y a des croissants, en plus des brioches à la cannelle que j'ai préparées hier.

— Des brioches ! s'exclame Rosa, la main déjà dans le panier.

— Et toi, mon grand ?

— Je vais prendre une brioche, moi aussi. Merci.

— Grand-maman, tu la connais, l'histoire des jumelles ? demande Rosa.

— Non, raconte-moi ça, je suis sûre qu'elle est très drôle.

— Mais ce n'est pas une blague !

— Ah bon, excuse-moi. Qu'est-ce que c'est, alors ?

— Une histoire qui fait peur !

— Vous avez encore passé une partie de la nuit à vous
conter des histoires d'horreur ?

La grand-mère lève les yeux vers Victor. Il y a presque
un petit reproche dans son regard.

— Tu sais bien que ta sœur est encore un peu jeune
pour ça. Elle fait des cauchemars, après.

— Isabelle a raconté un truc, répond le garçon. Rien
de vraiment effrayant.

— Et après, on a ri, confirme Rosa. Beaucoup.

— Je sais. Je vous ai entendus, dit la grand-maman,
rassurée.

— Alors, tu la connais, l'histoire des jumelles ?
la relance Rosa, la bouche pleine.

— Qu'est-ce qu'elles avaient de spécial ? demande
la grand-mère en posant une cruche de lait sur la
table.

— Eh bien, elles égorgeaient des petites filles et
mouraient à tour de rôle. Tu les connais ?

— Tu parles des jumelles Barnes ?

— Tu les connais ! s'écrie Rosa, impressionnée.

Sa bouche grande ouverte laisse entrevoir une belle brassée de brioche mâchée.

— C'est vrai ? ne peut s'empêcher de lâcher Victor à son tour.

Madame Lachaîne hausse les épaules.

— C'est une légende dans la région. Les vieux racontent ça pour effrayer les enfants, mais ça n'a absolument rien de fondé. Il a bien existé des jumelles Barnes. L'une est morte en bas âge. L'autre, qui est restée vieille fille, était institutrice au village. Elle a vécu jusqu'à quelque chose comme quatre-vingt-dix-huit ans.

— Il paraît qu'elle n'est jamais morte, dit Rosa.

— N'importe quoi ! rigole la grand-maman. Tout le monde meurt un jour. Elle comme les autres.

Les yeux de Rosa se remplissent de larmes.

— Pas toi, hein, mamie ?

— Quoi, moi ? Bien sûr que je vais mourir, moi aussi.
   Mais pas tout de suite, rassure-toi, lance madame
   Lachaîne en riant.

Rosa va se lover sur les genoux de sa grand-mère.
Victor soupire. Sa petite sœur adore les drames et
les moments d'émotion intense. Elle est prête à en
provoquer quand il n'y en a pas assez à son goût.
— Tu peux aller te recoucher, si tu veux, Victor,
   propose madame Lachaîne. Rosa et moi, on va
   préparer le gâteau pour le dîner en attendant que
   les grandes se lèvent. D'accord, Rosa ?

Victor ne refuse pas. Après tout, la nuit a été courte.
Le garçon sort dans le soleil matinal. Au loin, on
voit les montagnes bleues qui se découpent très
clairement sur l'horizon. Se rendormira-t-il s'il se
recouche ? Et s'il y arrive, dans quel état va-t-il se
réveiller ? Il n'a jamais aimé la sensation que procure
un réveil à midi. La tête lourde. La bouche pâteuse.
Il a l'impression qu'il ne s'en remet jamais vraiment.

Il regarde le vieux vélo de son grand-père, appuyé
contre le mur de la grange. Il fait trop beau.
Tant pis, il dormira quand il pleuvra.

CHAPITRE

6

Le garçon enfourche le vélo et remonte lentement l'allée qui mène à la route de terre. Évidemment, ce serait plus drôle si Arnaud était là. Ils pourraient faire la course et dire des âneries. Penser à son cousin lui rappelle le jeu de chasse au trésor dont il lui a parlé.

Peut-être qu'il existe des caches dans la région ? Il pourrait essayer d'en trouver. D'autant plus qu'il a le GPS de ses grands-parents. Ce serait le bon moment. Vu le temps qu'il fait, ils vont sûrement aller à la plage cet après-midi. Et ce soir, il sera trop fatigué.

Victor monte à la chambre sur la pointe des pieds. Les filles dorment toujours aussi profondément. Isabelle ouvre à peine un œil quand il se penche pour ramasser son téléphone portable et le GPS qu'il a rangés près de son lit.

Sa cousine semble sur le point de dire quelque chose, mais elle se contente de laisser échapper une espèce de petit râle. Sa main se tend vers un objet. Victor suit le mouvement des yeux à demi-ouverts. Il voit un téléphone posé sur un chandail roulé en boule.

Victor secoue la tête. Isabelle est tellement dépendante de son cellulaire que, même en plein sommeil, elle doit s'assurer qu'il est toujours à portée de main.

Quelques instants plus tard, le garçon est assis sur une bûche, à côté de la grange, et tente de comprendre le fonctionnement du GPS.

GPS est un acronyme signifiant *Global Positioning System*, ce qu'on pourrait traduire en français par « système de repérage universel ». Les récepteurs GPS sont des outils de géolocalisation qui utilisent les signaux émis par les satellites pour déterminer la situation géographique d'un point donné. Ce système, mis au point par l'armée américaine, est le seul de ce genre accessible au grand public.

bip

Un GPS peut vous indiquer exactement où vous êtes sur la Terre.
Cet appareil possède différentes fonctions.
Outre la géolocalisation, il peut servir à créer des itinéraires. Vous n'avez qu'à entrer les coordonnées de votre destination, et l'appareil vous guidera jusqu'à votre point d'arrivée.

Pour programmer votre itinéraire, vous pouvez inscrire l'adresse postale, les coordonnées géographiques ou encore le nom de la route à proximité de l'endroit où vous désirez aller.

Vous pourrez ensuite choisir entre un guide visuel, par cartes routières, ou un guide vocal qui vous indiquera, à chacune des étapes, les directions à prendre.

L'appareil sélectionnera le trajet le plus rapide, que vous vous déplaciez à pied, en vélo ou en voiture.

Ouais, c'est bien joli, un GPS, mais, même si Victor arrive à le faire fonctionner, sans les coordonnées d'une cache, ça ne servira pas à grand-chose. Peut-être qu'il pourrait retrouver le lien que son cousin lui a envoyé l'autre jour ? Il se dirige vers la maison. Il vient de poser la main sur la poignée de porte quand il sent son téléphone vibrer dans sa poche. C'est Arnaud.

Arnaud

Dors-tu, grosse larve ?

Victor

Bien sûr que non. J'arrive de mon jogging.

Arnaud

C'est ça. Et moi, de chez l'esthéticienne.

Victor

Avec Magali ?

Arnaud

Je n'aurais jamais dû te parler de ça. Qu'est-ce que tu fais ?

Victor

J'allais voir si je ne trouverais pas le lien de ton jeu de scout.

Arnaud

Le *géocaching* ? Ça va te prendre un GPS.

Victor

J'ai celui des grands-parents.

Arnaud

Nos ancêtres ont un GPS ? Qu'est-ce qu'ils font avec ça ?

Victor

Grand-maman l'a gagné dans un tirage. Dis donc, Roméo, pourrais-tu m'envoyer l'adresse d'une cache pour que j'essaie ?

Arnaud

Je voudrais bien, mais je n'ai pas d'ordi avec moi à l'aréna.

Victor

Tant pis, je vais essayer de me débrouiller.

Arnaud

Attends ! J'ai une idée. Je vais demander à Magali qu'elle t'envoie une fiche par courriel.

Victor

Magali chérie ? Hou !

Arnaud

Ta gueule, mon lapin! Va consulter tes courriels dans dix minutes. Si tout va bien, ça devrait être là. Il faut que je te laisse si je veux avoir le temps de texter avant que mon entraînement commence.

Victor referme son téléphone, satisfait. Dix minutes, ça lui donne juste le temps de brancher l'antique ordinateur de ses grands-parents sur Internet. Leur connexion par téléphone est tellement lente que c'est parfois plus rapide d'envoyer un message par la poste.

Quinze minutes plus tard, quand l'ordinosaure de son grand-père finit par afficher la page d'accueil de sa boîte de courriel, Victor constate qu'Arnaud ne lui a pas menti. La mystérieuse et efficace Magali lui a bien envoyé un message.

Salut Victor !

Arnaud m'a demandé de te trouver une cache près de chez tes grands-parents. J'en ai découvert une qui a l'air pas mal. (Et pas trop loin.) La fiche est en pièce jointe. Si j'en repère d'autres, je te les envoie. Je te mets aussi des instructions pour le jeu, au cas où tu ne serais pas familier avec le *géocaching*.

Magali

Victor attrape la fiche imprimée et descend l'escalier quatre à quatre. En passant dans la cuisine, le garçon aperçoit sa grand-mère en train de mettre le gâteau au four, surveillée de près par sa jeune sœur.

— Tu ne te recouches pas, finalement ? lui demande sa grand-mère.

— Non, je vais aller me promener en vélo.

— Sois prudent sur la route.

— Et ne parle pas aux étrangers, ajoute Rosa d'un ton grave.

— Promis, fait Victor en souriant devant le sérieux de la petite.

Assis au soleil sur une vieille souche, le garçon lit le premier paragraphe du document que lui a envoyé la copine d'Arnaud :

INSTRUCTIONS

Pour trouver la cache, vous devez entrer ses coordonnées géographiques sur le GPS. Les coordonnées géographiques sont des chiffres qui expriment la latitude, à l'aide de lignes appelées parallèles (nord-sud), et la longitude, à l'aide de lignes appelées méridiens (est-ouest).

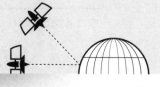

Ouais. Ça n'a pas l'air sorcier. Il devrait pouvoir y arriver. Il ne lui reste qu'à regarder à quoi ressemble la fiche.

 **GÉOCACHE QUÉBEC**

LE SITE OFFICIEL DES CACHES À TRÉSOR AU QUÉBEC

Nom de la cache : Le creux des bois
Lieu : Saint-Raymond, Québec
Une cache créée par Mado le 9 octobre 2010

Taille : petite	Indice :
Difficulté : * (sur 5)	HA PERHK N 1 Z 50
Terrain : **	

Coordonnées :
N 45° 05' 17"
W 72° 44' 19"

SOYEZ RESPECTUEUX DE L'ENDROIT ET AMUSEZ-VOUS BIEN ! BONNE CHANCE !

Victor entre les coordonnées dans l'appareil.

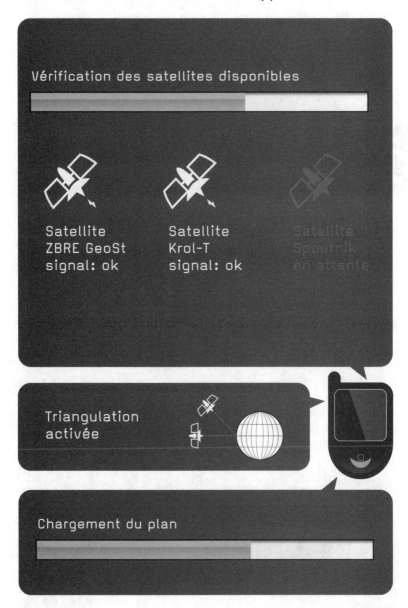

Vérification des satellites disponibles

Satellite
ZBRE GeoSt
signal: ok

Satellite
Krol-T
signal: ok

Satellite
Spoutnik
en attente

Triangulation
activée

Chargement du plan

Le soleil commence à lui cuire le dos. Il devrait y aller avant d'avoir trop chaud. L'indice de la fiche l'intrigue un peu. Tant pis, il le décodera une fois sur place, s'il en a besoin.

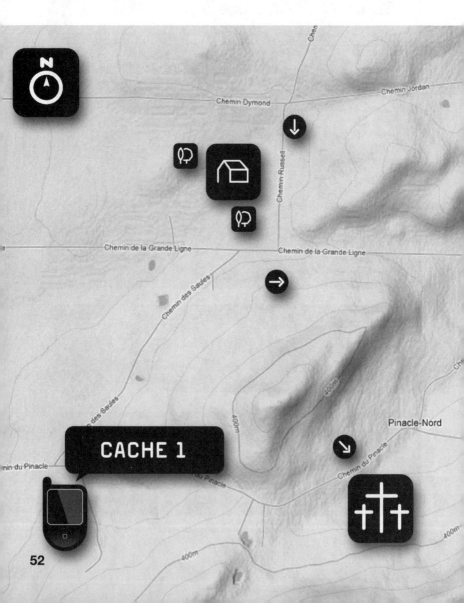

Il jette juste un œil au petit plan qui est joint à tout ça.
Ça y est. Il est prêt à partir. Peut-être devrait-il
apporter une bouteille d'eau pour éviter de lécher la
route de terre après ses quelques kilomètres de vélo ?

CHAPITRE

7

Victor pédale sur la route de terre en direction sud-est.
En tout cas, c'est ce que prétend le GPS. Le garçon
passe devant la vieille maison que son grand-père
appelle la maison de l'Anglaise. On n'y voit jamais
personne. Pourtant, on dirait bien que quelqu'un
s'occupe de l'entretien. Le gazon est parfois tondu.
En hiver, on a déjà vu de la fumée s'échapper de la
cheminée.

Et si c'était celle-là, la maison des jumelles Barnes ?
Avec ses vieux bardeaux et ses fenêtres derrière
lesquelles pendent des rideaux défraîchis, elle

ressemble à la maison hantée classique des films d'horreur.

Quand une voix de femme brise le silence pour le prévenir qu'il devra bientôt tourner à droite, Victor sursaute tellement qu'il manque de tomber dans le fossé. Mais ce n'est que le GPS qui le dirige.

Le cœur battant, le garçon obéit aux ordres de son guide virtuel. Après trois cents mètres, il tourne à gauche sur le chemin de la Grande Ligne. La route monte encore. Victor pense à son cousin qui se

moque toujours de ses aptitudes sportives. Il va lui prouver qu'il n'a pas des mollets de chihuahua !

C'est en nage que Victor arrive en haut de la côte. Il s'arrête un peu pour reprendre son souffle. Il en profite pour boire une gorgée d'eau. Autour de lui, à l'exception des oiseaux et du bruit du vent dans les feuilles, c'est le silence total. Il n'a pas croisé une voiture depuis son départ. Ça fait un peu bizarre d'être là, tout seul, en pleine campagne. Mais de jour, sous ce soleil éblouissant, de quoi pourrait-il bien avoir peur ?

Le garçon recommence à pédaler. Il a à peine roulé un kilomètre que la voix électronique s'élève de nouveau.

Vous êtes arrivé.

Victor freine et regarde autour de lui. Il est au milieu de nulle part. Qu'est-ce qu'il doit faire, maintenant ? Il sort les documents de son sac.

GPS

Les GPS ne peuvent vous donner des indications vocales que pour les trajets sur le réseau routier. Si la cache n'est pas située sur une route répertoriée sur une carte, vous devez alors utiliser la fonction boussole de votre appareil et vous orienter au moyen des coordonnées géographiques.

🔲 ⚠ 注意

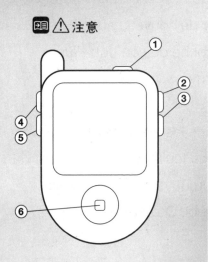
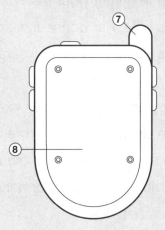

Victor consulte le GPS. D'après ce qu'il comprend, il doit quitter la route et entrer dans la forêt. Le garçon abandonne son vélo près d'un poteau au bord du chemin et enjambe le fossé qui le sépare du boisé. Au début, il avance à tâtons entre les épinettes basses et les hautes fougères, mais bientôt il rejoint un petit sentier. L'étroit chemin entre les arbres longe un minuscule ruisseau qui serpente à travers la forêt. À première vue, le sentier semble mener vers les coordonnées de la cache. Aussi bien en profiter.

À un moment, le sentier bifurque vers la droite. Victor doit le quitter pour s'aventurer de nouveau au milieu des bois. Par bonheur, il approche de son but. Plus que quelques pas et il sera arrivé.

Ça y est. Il y est. Victor examine les environs. Il ne voit rien de spécial. Des arbres, des feuilles, des branches. Un rocher ici ou là. Le glouglou du ruisseau qui coule derrière. Une forêt normale, quoi. Qu'est-ce qu'il doit chercher, déjà ?

La cache n'est pas aussi facile à trouver qu'il le croyait. Il va avoir besoin de l'indice. Il ressort donc la feuille de son sac.

Indice :

HA PERHK N 1 Z 50

_____

Une c
Lieu :
Nom

_____

LE SI

MUSEZ-VOUS BIEN ! BONNE CHANCE !

⚲ Clé de décryptage

A	B	C	D	E	F	G	H	I	J	K	L	M
↕	↕	↕	↕	↕	↕	↕	↕	↕	↕	↕	↕	↕
N	O	P	Q	R	S	T	U	V	W	X	Y	Z

La lettre du bas correspond à celle du haut.
Et vice-versa.

Victor prend un stylo et commence à décrypter l'indice à l'aide du code. Une minute plus tard, il relit les quelques mots qu'il a griffonnés à l'endos de la feuille.

UN CREUX À 1 m 50

Qu'est-ce que ça veut dire? Un trou dans un arbre, peut-être ? Victor recule d'un pas. Une branche sèche craque sous son poids. Le garçon ne peut s'empêcher de sursauter. Il pivote sur lui-même pour regarder autour. Est-ce qu'il est seul dans cette forêt ? Que ferait-il s'il rencontrait quelqu'un de bizarre ? Son cœur bat plus vite. C'est ridicule. On est en plein jour. Il n'y a aucun danger. N'empêche, il a l'étrange impression d'être surveillé. Victor se raisonne. Ce doit être son imagination.

À force de scruter la forêt, il finit par repérer ce qu'il cherche : un grand bouleau, avec un nœud immense, à peu près à la hauteur de ses épaules. Et dans ce nœud, un trou de la taille d'une grosse boule de quilles. C'est sûrement ça, la cache.

Victor s'approche de l'arbre et retire les feuilles mortes qui obstruent l'ouverture de la cavité. Pourvu qu'il ne mette pas la main dans le nid d'une bestiole...

Il tâtonne dans le creux humide. Soudain, ses doigts effleurent quelque chose de dur et lisse. C'est un contenant de plastique de la taille d'un pot de yogourt. Ça y est ! Il a trouvé sa première cache !

Victor ouvre le contenant. Il n'est pas surpris de ce qu'il y découvre. Ça ressemble beaucoup à ce qu'on décrivait sur le document de présentation.

 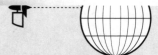

Dans une cache typique, on trouve un petit contenant étanche. Celui-ci renferme généralement un carnet que les participants peuvent signer pour témoigner de leur passage. On peut écrire un commentaire sur son appréciation de la cache. C'est toujours bienvenu. La cache contient aussi un crayon et quelques babioles sans grande valeur, qu'on peut échanger contre celles qu'on a apportées.

Victor regarde au fond du pot. Il y aperçoit des pierres vertes. Comme il n'a rien apporté à échanger, le garçon laisse les cailloux colorés à leur place. Puis il s'assoit sur une vieille souche pour ajouter son nom à ceux des autres joueurs dans le carnet. Il vient tout juste de l'ouvrir quand il entend un craquement dans son dos. Il se retourne par réflexe. Le garçon a l'impression de voir quelque chose disparaître derrière un bosquet d'épinettes.

Ça s'est passé si vite qu'il ne peut jurer de rien. Et si c'était un chevreuil ? Il aimerait bien en voir un. Mais il a beau fouiller les bois du regard et tendre l'oreille, plus rien ne bouge. Déçu, il retourne à son carnet.

Avant d'inscrire son nom, il jette un œil curieux à celui des personnes qui sont passées avant lui.

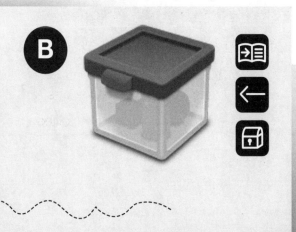

Michel et Estelle, 15 avril
Il fait beau.
Cette cache est super!
Noémie et ses amies

Jennifer, Charlotte et Rosalie
12 mai
Et leur mère, Danielle,
était là aussi

(sinon les filles seraient encore dans
le stationnement à checker comment
fonctionne le GPS...)

Jean Sebastien
Merci pour cette
cache en pleine
forêt
(J'ai vu un raton-laveur)
17 mai

Victor tourne la page pour en lire quelques autres et reste bouche bée.

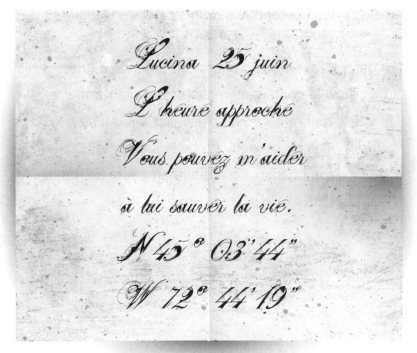

Lucina 25 juin

L'heure approche

Vous pouvez m'aider

à lui sauver la vie.

N 45° 03' 44"

W 72° 44' 19"

Un étrange malaise s'empare de Victor. Mais il se ressaisit rapidement. Bien que ce ne soit pas un nom très courant, il doit s'agir d'une autre Lucina. La vieille jumelle Barnes ne doit pas être la seule à avoir porté ce nom dans toute l'histoire du monde. N'empêche que la coïncidence est troublante. Surtout que le message est plutôt énigmatique. Victor vérifie la date.

C'est bien celle d'aujourd'hui. Ce qui signifie que cette Lucina est passée ce matin, juste avant lui. Et si c'était elle qu'il avait entendue s'éloigner il y a un instant ?

Le garçon referme le carnet. Il commence à ranger les trucs dans le contenant, mais la curiosité l'emporte. Avant de tout remettre en place, il prend en note les coordonnées de la cache de cette intrigante Lucina. Si c'est sur son chemin, il s'arrêtera en cours de route. Peut-être.

Enfin, il verra.

CHAPITRE

8

Quand on est né en ville, il n'y a rien qui ressemble plus à un arbre qu'un autre arbre. C'est ce que Victor est à même de constater quand il s'apprête à repartir. Il jette un œil au GPS. Le garçon ne sait pas comment utiliser l'appareil pour qu'il le guide jusqu'au chemin. Il n'a pas noté les coordonnées géographiques de la route. Peut-être qu'en programmant l'adresse de sa grand-mère ?

Au bout de quelques minutes, Victor doit se rendre à l'évidence : cette technique ne donne aucun résultat. Le GPS se contente d'afficher le nom de la route à emprunter. « Je sais quel chemin prendre, maugrée-t-il. C'est juste que je ne sais plus où il est… »

Alors qu'il regarde autour de lui à la recherche d'un repère pouvant lui rappeler quelque chose, un bruyant toc retentit sur sa gauche. On dirait qu'un caillou a frappé un arbre. Victor se retourne sous le coup de la surprise. Cette pierre ne peut pas avoir volé dans les airs toute seule. Il doit bien y avoir quelqu'un qui l'a lancée. Mais le garçon ne voit rien. Strictement rien qui bouge. Sauf que, en scrutant attentivement l'endroit d'où est venu le bruit, il aperçoit le ruisseau qui coule, juste en contrebas.

Il se rappelle, maintenant. Il n'a qu'à suivre le ruisseau et il va rattraper le sentier. C'est ce qu'il s'empresse de faire.

Dix minutes plus tard, il émerge du boisé et pose enfin le pied sur le sol cahoteux du petit chemin de terre. Il ne lui reste plus qu'à trouver son vélo. Victor se dirige vers le poteau électrique à côté duquel il croyait l'avoir caché, mais la bicyclette n'est pas là. Le garçon s'interdit de s'énerver. Ça ne doit pas être le bon poteau. Après tout, les poteaux, c'est comme les arbres, ils se ressemblent pas mal tous.

À son grand étonnement, il retrouve son vélo, à peine caché, mais de l'autre côté de la route, dans un tas de fougères.

« Ce n'est pas possible, quelqu'un l'a déplacé, pense le garçon, perplexe. J'ai enjambé le fossé après avoir déposé ma bicyclette près d'un poteau. Il n'y avait pas toute cette végétation autour. Ça ne pouvait pas être de ce côté... Il y a un farceur qui rôde aux alentours, c'est clair. »

Mais bon, le vélo est là. Intact. C'est le plus important, se dit Victor en l'enfourchant.

Dès que la bicyclette commence à rouler, un bruit de frottement se fait entendre sur la roue avant. Victor remarque alors un bout de papier coincé entre les rayons.

Le garçon se penche rapidement pour le retirer. Son premier réflexe est de le glisser dans sa poche pour le jeter plus tard, mais il se ravise. Il va quand même regarder ce que c'est.

Livrez-moi ce dont j'ai besoin et vous éviterez le pire.

Qu'est-ce que ça veut dire ? Livrer quoi, d'abord ? Victor fourre le mot dans sa poche. Le papier a dû se coincer là par hasard. Ce message ne lui est pas destiné. C'est évident. N'empêche, le garçon éprouve un mauvais pressentiment.

Tandis qu'il pédale, le malaise de Victor se dissipe. Le temps est splendide. Un petit rigolo a changé sa bicyclette de place. Un papier s'est coincé dans les rayons. C'est tout. Ça arrive. Lucina est peut-être un nom très à la mode chez les anglophones. Il y a quand même pas mal de descendants d'Irlandais dans la région. Au bout de quelques kilomètres, il a oublié toute cette histoire. Il pense avec plaisir au repas qui l'attend. Il a toujours raffolé de la cuisine de sa grand-mère. C'est alors que son regard croise une pancarte.

MUSÉE HISTORIQUE DU CANTON DE ST-RAYMOND
CIMETIÈRE BARNES

Victor freine. Barnes ? C'est le nom des satanées jumelles de l'histoire d'Isabelle ! Intrigué, le garçon regarde autour de lui. Sur la gauche, un petit boisé tout ce qu'il y a de plus ordinaire. Sur la droite, encastré dans un champ fraîchement fauché, s'élève un minuscule cimetière. Il y a peut-être une vingtaine de vieilles pierres tombales d'un autre âge, entourées d'une clôture.

Victor laisse son vélo au bord de la route. Il grimpe les quelques marches de pierre craquelées et tachetées de lichens, qui mènent au petit terrain herbeux. Et si c'était à cet endroit que le conduisaient les coordonnées écrites par la fameuse Lucina du carnet ?

Titillé par la curiosité, il sort le GPS et y entre les chiffres qu'il a notés tout à l'heure. Il n'est pas surpris de constater qu'il est presque pile dessus. Il avance encore un peu.

Quand les coordonnées se sont stabilisées et qu'il est exactement à la bonne place, le garçon baisse les yeux. Il est devant une vieille pierre tombale blanche sur laquelle sont gravées des inscriptions tellement usées qu'elles sont presque illisibles.

Ci-gît Lucina, fille jumelle
de Cynthia et Hiram Barnes,
qui a quitté ce monde
le 5 juin 1842, à l'âge de

6 ans,

II mois

20 jours

Victor sent son estomac se contracter. Il y a un farceur ou une farceuse dans les environs, c'est évident. Le garçon regarde autour de lui, mais il ne voit toujours personne. Même s'il ne croit pas aux fantômes, il n'a pas envie de traîner dans le coin. Après tout, est-ce que c'est bien la peine qu'il perde son temps à fouiller pour trouver un petit carnet humide et quelques babioles ? Non. Le dîner doit être prêt. Sa grand-mère va s'inquiéter. Il ferait mieux de rentrer maintenant.

En réalité, ce qui motive vraiment le départ précipité du garçon, ce n'est pas la faim, c'est la désagréable et tenace impression d'une présence près de lui.

CHAPITRE

9

— Où t'étais ? demande Isabelle quand elle voit arriver
Victor sur son vélo.

— Je suis allé me promener.

Sa cousine range le cellulaire qu'elle était en train de
consulter dans la poche arrière de son short en jeans.

— Où ça ?

— Par là, indique le garçon avec un geste vague en
direction de la route.

Il n'a pas envie de parler des caches. S'il avoue qu'il
n'a pas pris le temps de chercher celle du cimetière,

les filles vont en déduire qu'il a eu peur. Et elles n'auront pas entièrement tort… Elles vont se moquer de lui le reste de la semaine.

— Il y a un signal pour ton téléphone, ici ? demande-t-il pour changer de sujet.

Isabelle fait une moue et secoue la tête.

— Oui, mais très, très faible. Je suis, pour ainsi dire, coupée du monde civilisé.

— C'est gentil pour nous… réplique Victor en appuyant le vélo contre le mur de la grange. Les autres sont debout ?

— Tout le monde est à l'intérieur en train d'aider grand-maman à préparer le dîner. Il n'y a que toi, encore, à jouer les pachas en vacances…

— Tu peux bien parler, Miss Cellulaire. À ce que je vois, tu ne t'épuises pas à la tâche non plus.

Sa cousine n'est même pas vexée. Elle sourit. Tout le monde le sait, elle a toujours eu le chic pour échapper aux corvées. Elle lance :

— On va au lac, cet après-midi. Viens-tu avec nous ?

— Bien sûr ! répond Victor avant d'entrer dans la maison.

Après l'éblouissement du soleil, l'intérieur paraît bien sombre.

— Où t'étais ? demande une chorale de voix féminines.

Il faut un moment à Victor pour distinguer des formes humaines dans la pénombre de la cuisine.

— En vélo.

Il a à peine le temps de répondre que sa petite sœur fonce sur lui.

— Victor ! Aurais-tu vu ma barrette papillon ? Tu sais, la rose avec des brillants qu'Amélie m'a donnée pour mon anniversaire ?

Le garçon secoue la tête.

— Non. Pas vue.

— Elle a mys-té-ri-eu-se-ment disparue ! s'écrie la fillette en martelant chaque syllabe.

— Mais non, la rassure sa grand-maman. Tu l'as juste
égarée. On va la retrouver très bientôt.

— Non ! Elle a disparu. Je l'avais mise à côté du
lavabo pendant que je me brossais les cheveux et
elle n'est plus là !

— C'est impossible, copinette. Je suis sûre que c'est
parce que tu n'as pas bien regardé.

— Ce n'est pas vrai, râle l'enfant. J'ai bien regardé.
Avec mes deux yeux !

La grand-mère se tourne vers son mari qui lit
tranquillement son journal à la table de la cuisine.

— Marcel, rends-toi donc utile. Va voir avec la petite si
sa barrette ne serait pas tombée quelque part dans
la salle de bains.

— À vos ordres, chef ! rétorque le grand-père en
posant son journal. Viens, Rosa, on va faire une
enquête…

— Qu'est-ce que je peux faire pour aider ? demande
Victor.

— Prendre une douche ? suggère sa sœur Gabrielle
en se bouchant le nez. On dirait une chambre des
joueurs à toi tout seul.

Même si elles sont de dos, Victor peut voir que
Camille et Marie rigolent en coupant des légumes
pour la salade.

— Tu exagères, Gabrielle, réplique madame Lachaîne
en réprimant un sourire. Va plutôt me chercher du
jus dans le congélateur de la grange, mon grand.
Les filles ont déjà bu les deux litres que j'avais
préparés ce matin.

Pendant que Victor fouille entre les morceaux de
viande congelés pour trouver les boîtes de jus que sa
grand-mère lui a demandées, son téléphone se met
à vibrer dans sa poche. Victor sursaute et referme le
congélateur d'un geste brusque.

Pourquoi est-il si nerveux ? Il ne va pas commencer à
s'inquiéter pour un jeu de piste enfantin. Il ouvre son
appareil. C'est Arnaud.

Arnaud

Alors, la cache ? T'es allé?

Victor

Ouaip ! Et je l'ai trouvée.

Arnaud

Le jeu t'a amusé ?

Victor

Bof. C'est pas mal…

Arnaud

Aïe ! L'entraîneur arrive… et je n'ai pas le droit d'utiliser mon cell…

La phrase coupe en plein milieu. Victor sourit en imaginant la tête d'abruti que son cousin doit faire pendant que son entraîneur l'engueule.

Le garçon ouvre de nouveau le congélateur pour y chercher les boîtes de jus. Il met la main sur la première quand il aperçoit un morceau de papier

coincé entre un gigot et un paquet de côtelettes. Il est
tout souillé du sang de la viande.

« Ça doit venir d'une recette de grand-maman »,
pense le garçon en fourrant le papier dans sa poche.
Il ne peut s'empêcher de remarquer que l'écriture
ressemble étrangement à celle de la mystérieuse
Lucina.

Tout le monde est déjà installé à table quand Victor
revient dans la maison.

— Quiche aux épinards ou au jambon ? s'enquiert sa
   grand-mère.
— Je peux avoir les deux ? répond le garçon en
   s'assoyant.

— Alors tu es allé de quel côté, champion cycliste ? demande son grand-père.

— Je suis allé vers le chemin Russell.

— Du côté de la maison de l'Anglaise, donc.

— Ouais, confirme Victor en avalant une bouchée de salade. C'est vraiment une Anglaise qui habite là ?

— Oh ! ça fait longtemps qu'elle est partie, la vieille. Elle est dans un centre de personnes âgées près de Sherbrooke. Sa nièce, qui vit à Toronto, continue à entretenir un peu la maison, mais elle vient très rarement. Il paraît même qu'elle n'habite pas là quand elle est de passage. Elle prétend qu'il y a une drôle d'ambiance là-dedans.

— Pourquoi est-ce qu'elle ne la vend pas ?

— La vieille refuse. Elle dit qu'elle a ses raisons, sauf que personne ne sait lesquelles. À mon avis, elle est un peu zinzin.

Une question brûle la langue de Victor, mais il hésite à la poser. Il prend une gorgée de jus. Puis il se lance :

— Est-ce que c'est la maison des jumelles Barnes ?

— Les jumelles Barnes ? s'étonne le grand-père.

On dirait qu'il a prononcé des mots magiques.

Les conversations s'arrêtent d'un coup sec.

Plus personne ne bouge.

— Qui t'a parlé d'elles ?

— C'est moi, balbutie Isabelle. J'ai lu leur histoire dans
un recueil de légendes québécoises. Tu en as déjà
entendu parler ?

Du coin de l'œil, Victor voit sa grand-mère faire
un drôle de petit signe de la tête à son mari.

Un « non » à peine perceptible.

— C'est juste une histoire, déclare le grand-père en
balayant l'air de sa main.

— Mais il a bien existé des jumelles Barnes dans la
région ? veut savoir Marie.

— Il paraît, répond prudemment le vieil homme.

— Et elles égorgeaient des petites filles ? s'inquiète
Rosa.

— Bien sûr que non, rigole madame Lachaîne, un peu
plus fort qu'elle ne le devrait. C'est impossible, ça,
copinette. Allez, mange pendant que c'est chaud.

CHAPITRE

10

Alors que tous sont en train de charger les voitures en vue de leur après-midi à la plage, madame Lachaîne prend son petit-fils à part.

— Victor, mon grand, à l'avenir, il vaudrait mieux que vous évitiez de raconter des histoires d'horreur devant Rosa. Elle est encore petite. Elle n'est pas capable, comme vous, de faire la part entre la fiction et la réalité. La légende des jumelles Barnes semble l'avoir beaucoup impressionnée. J'ai peur qu'elle fasse des cauchemars cette nuit. Autant que possible, évitez d'aborder le sujet devant elle, d'accord ?

— Promis, grand-maman.

— Merci. Je savais que tu comprendrais.

Elle tend une pile de serviettes de plage à Victor.

— Allez, va me mettre ça dans le coffre de la voiture.

Le garçon a déjà tourné le dos quand sa grand-mère lâche :

— Et pour répondre à ta question de tout à l'heure…

On dirait que sa grand-mère hésite. Finalement, elle se décide :

— Tu avais raison : la maison de l'Anglaise, c'est bien l'ancienne maison des jumelles Barnes.

La grand-mère met un doigt sur ses lèvres fermées.

— Mais évite d'en parler, hein ?

Gabrielle dépose la glacière sur la table de pique-nique à l'ombre d'un grand pin. Isabelle vient la rejoindre avec une pile de serviettes.

— C'est toi qui as la crème solaire ? lui demande
Gabrielle en lui prenant les serviettes.

— Non, c'est Marie.

— Ici ! clame celle-ci en brandissant un gros sac
rouge.

Elle jette un œil à l'intérieur du sac.

— Avec le chasse-moustiques, la trousse de premiers
soins et... quelques jeux de société. On est prêts
en cas d'attaque nucléaire.

Chaque départ à la plage est un véritable
déménagement. En général, les cousins utilisent à peu
près la moitié du matériel apporté, mais ça fait partie
du rituel que de vider la moitié de la maison. On ne
sait jamais...

Victor arrive avec le vieux bac de recyclage dans
lequel s'entassent les raquettes de badminton, les
ballons et les autres jouets de plage.

— Je ne sais pas pourquoi on traîne toujours le jeu de
pétanque. Je pense qu'on ne s'en est jamais servi,
dit-il.

— Oui, une fois, lui rappelle Gabrielle. Arnaud avait
failli assommer une dame qui se faisait bronzer en
bikini. La boule était même tombée sur sa serviette.
Après, on n'a plus eu le droit de jouer.

— Grand-maman, est-ce que je peux aller me
baigner ? demande Rosa dès que ses grands-
parents la rejoignent.

— D'abord, tu mets de la crème solaire. Ensuite,
tu patientes jusqu'à ce qu'un plus vieux
t'accompagne.

— Mais je suis assez vieille, j'ai presque sept ans !

— Tu n'as même pas sept ans, commence Isabelle.
Tu as… Attends que je calcule…

Elle ramasse un bout de branche par terre, pousse le
sable sec du pied pour atteindre la partie plus humide.
Et, du bout de son bâton, elle fait une soustraction.
Elle inscrit le résultat et l'entoure d'un carré.

— Tu as seulement six ans, onze mois et vingt jours.

Frustrée, la petite croise les bras sur sa poitrine,
tourne le dos et se laisse tomber dans le sable.

— Et c'est parti pour le boudin de plage, lance
  Gabrielle.

Ce qui fait rigoler tout le monde. Victor, lui, ne rit pas.
Il regarde fixement les chiffres gravés dans le sable.
Ils lui rappellent quelque chose. Quelque chose de
très frais à sa mémoire. À moins qu'il ne se trompe,
ce sont exactement ceux qu'il a vus sur la pierre
tombale de Lucina Barnes, ce matin. Si on se fie à la
légende, c'est à cet âge précis que la première jumelle
est morte. Et s'il a bien compris, c'est aussi cet âge
précis qu'ont, toujours selon cette légende, les jeunes
victimes sacrifiées par les jumelles.
— Ça va, Victor ? lui demande sa sœur Gabrielle.

Ce doit être une coïncidence. Ça ne vaut pas la peine
d'affoler tout le monde avec ça. Et puis Victor a promis
de ne pas parler des jumelles Barnes devant Rosa.
— Oui, oui, ça va, fait le garçon. Je pensais à un truc.
Sans importance. Tu me passes la bouteille d'eau ?

CHAPITRE

11

De retour à la maison, en fin d'après-midi, Victor n'y tient plus. Il faut qu'il retourne au cimetière pour en avoir le cœur net. C'est bête et ce n'est sûrement qu'une coïncidence absurde, mais il faut qu'il sache si ce sont bien les mêmes chiffres qu'il a vus sur la tombe du cimetière Barnes.

Dans la lumière dorée de cette fin de journée, le paysage semble encore plus doux et plus harmonieux. Tout respire le calme et la paix.

Le garçon attaque la côte du chemin Jordan sans la moindre appréhension. Même si les chiffres

sont identiques à ceux qui sont gravés sur la pierre tombale, il n'y a pas de quoi crier au fantôme. « C'est un hasard. Un simple hasard », se répète-t-il à chaque coup de pédale.

« C'est un hasard. Juste un hasard », se répète-t-il encore, une fois qu'il est arrivé au cimetière.

Le cœur de Victor bat comme un oiseau fou à l'intérieur de sa poitrine. Le garçon a beau se répéter que c'est à cause de l'effort physique qu'il vient de déployer, il ne peut se cacher que la coïncidence des chiffres y est aussi pour quelque chose.

Maintenant qu'il est là, Victor se dit qu'il serait bête de ne pas chercher la cache de la fameuse Lucina. Il jette un œil rapide autour de la pierre tombale, sans rien voir. Au fond, il a peur de ce qu'il pourrait y découvrir. Et il a un peu honte de ses craintes. Si Arnaud était là, il se moquerait de lui. Victor l'entend presque ricaner : « Oh ! le cousin ! Tu ne vas pas croire à ces histoires de fillettes ? »

Le garçon se met à chercher avec plus d'énergie. De toute façon, s'il ne trouve pas la cache, il va passer la nuit à se demander ce qu'elle contenait. Et il va être obligé de se taper la côte du chemin Jordan une autre fois demain matin pour venir vérifier. Aussi bien régler l'affaire tout de suite.

Victor déplace un caillou, quelques feuilles mortes... Ça y est ! Il le voit. Le couvercle bleu du pot de plastique dépasse du trou où il est caché, juste derrière la pierre tombale. Le garçon attrape le contenant transparent. Le cri d'une corneille le fait sursauter, l'arrêtant juste au moment où il s'apprêtait à soulever le couvercle.

Le cœur battant, il attend que le calme revienne en lui. Puis il ouvre le pot. Il n'y a pas de carnet, mais une simple feuille de papier pliée en deux. Victor la retire. Et ce qu'il voit alors le stupéfie. Tout au fond, entre un vieux dé en bois noir et une pièce de monnaie anglaise, il y a la barrette papillon de sa petite sœur.

CHAPITRE

12

Troublé, Victor prend la barrette entre ses doigts.

Comment est-ce possible ? Comment s'est-elle
retrouvée là ? Le garçon regarde autour de lui. Les
doux vallons qui baignent dans le soleil déclinant
semblent toujours aussi accueillants. Un grillon
entame sa stridulation aiguë. Les oiseaux pépient.
Tout est normal. C'est l'été. Les vacances. La scène
n'a rien d'un cauchemar ni d'un film d'horreur.
« C'est un hasard. Rien qu'un hasard », se répète
Victor. Quelqu'un a mis une barrette d'enfant comme
babiole dans le contenant. Dans celle de ce matin,

c'étaient de petites pierres vertes. Maintenant, c'est une barrette à brillants. Ce n'est pas un objet unique au monde. Il a sûrement été fabriqué à des millions d'exemplaires dans une usine quelque part en Chine.

Victor glisse la barrette dans sa poche. Tant pis pour le troc de babioles. Il viendra porter quelque chose en échange un autre jour. Voyons voir ce qu'il y a sur le papier, maintenant. Il déplie la feuille.

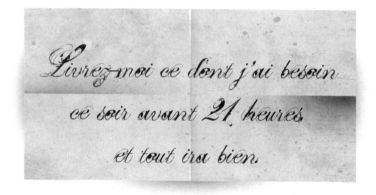

Livrez-moi ce dont j'ai besoin ce soir avant 21 heures et tout ira bien.

La mâchoire de Victor s'ouvre toute seule. Qu'est-ce que c'est encore que ce message bizarre ? Ce n'est quand même pas le fantôme de Lucina qui réclame le sang de sa petite sœur ? C'est impossible. Et s'il était tombé dans une histoire de trafiquants ? Peut-être que le jeu de géocache leur sert de couverture ?

Mais qu'est-ce que la barrette de Rosa viendrait-elle faire là-dedans, si c'était le cas ? Ce n'est peut-être qu'une coïncidence. Victor grimace. Ça commence à devenir un peu glauque, toute cette histoire. Le garçon s'empresse de remettre le papier dans le pot. Ce message ne lui est sûrement pas destiné. Il range le contenant dans la cache, à sa place. Il va oublier ce jeu de scout quelques jours, le temps de voir clair dans l'affaire.

Une fois de plus, il n'a pas envie de s'éterniser dans le minuscule cimetière Barnes. C'est sûrement son imagination, mais il a vraiment l'impression que quelqu'un le surveille, tout près. Bien sûr, il ne croit pas aux fantômes. Par contre il est assez vieux pour savoir que les humains peuvent parfois être beaucoup plus dangereux. Et il ne veut pas courir le risque de se retrouver face à face avec un malade ou un criminel.

Quand il passe devant la maison de l'Anglaise, Victor

a l'impression d'entendre un hurlement. Il freine pour mieux tendre l'oreille. Une corneille s'envole dans un grand battement d'ailes. C'est sûrement son coassement qu'il a pris pour un cri. Le garçon essuie la sueur qui perle sur son front avec un coin de son t-shirt. C'est fou, il est rendu plus peureux que sa petite sœur.

Victor va repartir quand il aperçoit une feuille de papier posée par terre, retenue par une pierre. Après tous les événements de la journée, difficile de croire qu'elle est arrivée là par hasard.

Les mains moites, Victor descend de son vélo pour la ramasser. Le texte est rédigé de la même écriture à l'encre noire que les autres messages qu'il a découverts, mais il lui est impossible de le décrypter. On dirait qu'il est codé, comme les indices des caches.

C'est ce qu'il va aller vérifier. Immédiatement.

CHAPITRE
13

— J'ai retrouvé la barrette de Rosa, annonce Victor, de
retour à la maison.

— Où ça ? demande Camille.

— Dans ma poche. J'ai dû la mettre là par mégarde.

Isabelle esquisse un petit sourire entendu. À croire
qu'elle s'imagine qu'il a fait exprès pour la cacher.

— Elle va être contente, reprend Gabrielle au bout
d'un moment. C'est son amie Amélie qui la lui
a bricolée avec un jeu qu'elle a reçu pour Noël.
Elle n'arrête pas de répéter que c'est une barrette
unique au monde.

Victor jette un œil à l'objet qui repose au creux de sa main. Maintenant qu'il l'observe avec attention, il réalise que sa sœur a raison. On voit très bien que la barrette en forme de papillon a été recouverte de peinture brillante par une petite main maladroite.

Le garçon déglutit. Comment cet objet a-t-il pu se rendre au cimetière ? Ça ne peut pas être l'une des filles qui lui joue un tour. Ce matin, elles dormaient et, cet après-midi, elles étaient à la plage avec lui. Ses grands-parents alors ? Non, quand même pas. Il imagine mal son grand-père partir en voiture pour cacher une barrette dans un cimetière dans le seul but de lui jouer un tour. Victor regarde avec horreur le bout de plastique entre ses doigts.

— C'est vrai que c'est laid, mais ce n'est pas la peine de faire cette tête-là, rigole Gabrielle. Donne, je vais la rendre à Rosa.

La main au fond de sa poche, Victor joue avec la feuille qu'il a ramassée devant la maison des sœurs Barnes. Il a hâte de vérifier s'il pourra décrypter le message. Pour ça, il doit récupérer le document de géocache où est noté le code. Le papier en question est resté dans son sac, au grenier. Le garçon est à mi-chemin de l'escalier quand sa sœur Gabrielle l'interpelle :

— Oh ! Véloman, tu ne vas pas encore te cacher pour éviter de participer aux tâches ?

— J'ai juste un petit truc à faire… bafouille-t-il.

— Oui, c'est de mettre la table, rétorque sa sœur. Allez !

Victor descend à contrecœur les quelques marches qu'il avait gravies.

— C'est vrai qu'on ne t'a pas beaucoup vu aux chaudrons depuis hier, lance son grand-père, assis dans son fauteuil.

— Regardez donc qui parle ! rigole sa femme depuis la cuisine.

— Bon, d'accord, j'arrive. Il faut juste que je me lave les mains avant, annonce Victor à Gabrielle, toujours plantée au pied de l'escalier.

Le garçon n'est pas aussitôt enfermé dans la salle de
bains du rez-de-chaussée qu'il sort le papier de sa
poche.

ncobegrm-zbv 100 zy qr
Snat qr ibger crgvgr Sbrhe
ninag 21 urherS, nhk
pbbeqbaarrS Shvinagrf :
a45° 22.755
j72° 66.387

ar gneqrm onS. Svaba wr
zr punetrenv zbv-zrzr qh
geninvy.

yhpvna

En se concentrant, il pourrait peut-être se rappeler le truc pour le décodage ? A = L ? Ou M ?

— Tu te laves les mains à sec ? demande sa sœur de l'autre côté de la porte. Tu pourrais au moins ouvrir le robinet si tu fais semblant…

Victor soupire. Le décodage va devoir attendre un peu. Tant pis. Ce n'est pas une question de vie ou de mort, de toute façon. Personne n'est en péril. Le pire qui puisse arriver, c'est que la blague d'un farceur tombe à plat. Un farceur pas très drôle, d'ailleurs.

CHAPITRE
14

Les tâches s'enchaînant les unes après les autres,
Victor n'a pas une minute à lui avant le souper.
Ensuite, il est de corvée de vaisselle. Le garçon a
l'impression que les filles font exprès d'étirer le temps.
Il est passé vingt heures trente quand il parvient enfin
à trouver un moment tranquille pour monter au grenier
pour y décoder le fameux message.

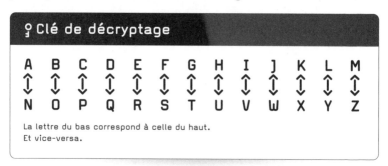

⚷ Clé de décryptage

A	B	C	D	E	F	G	H	I	J	K	L	M
↕	↕	↕	↕	↕	↕	↕	↕	↕	↕	↕	↕	↕
N	O	P	Q	R	S	T	U	V	W	X	Y	Z

La lettre du bas correspond à celle du haut.
Et vice-versa.

Voici ce que ça donne.

APPORTEZ-MOI 100 ML DE SANG DE VOTRE PETITE
SŒUR AVANT 21 HEURES. AUX COORDONNÉES
SUIVANTES :
N 45° 22.755
W 72° 66.387
NE TARDEZ PAS, SINON
JE ME CHARGERAI MOI-MÊME DU TRAVAIL.

LUCINA

Victor doit faire un effort pour ne pas se laisser gagner par le doute. Quelqu'un a manigancé toute cette histoire. Ce n'est pas possible que les fantômes des jumelles Barnes existent pour de vrai. C'est encore plus invraisemblable qu'une vieille femme de plus de cent soixante-quinze ans utilise un jeu de localisation satellitaire pour communiquer avec lui. Il y a quelqu'un là-dessous. Un être humain en chair et en os. Oui, mais qui ?

De nouveau, Victor écarte la possibilité que les filles y soient pour quelque chose. Aucune d'elles n'a quitté la maison, à part pour aller à la plage. Les grands-parents non plus ne peuvent pas être soupçonnés. Qui alors ? Arnaud ? Il est à son camp de hockey. Il n'aurait pas interrompu la communication s'il n'avait pas été surpris par son entraîneur. Et puis c'est une Magali qui a envoyé la fiche. Non. Il faut que ce soit quelqu'un d'autre.

Et si c'était un détraqué quelconque ? Quelqu'un qui le suit depuis le début. Qui est entré dans la maison pendant qu'ils dormaient pour voler la barrette de Rosa. Qui met les mots dans les caches, juste avant qu'il les trouve. Il y a des malades partout. Pourquoi pas à la campagne ? Peut-être sa petite sœur est-elle vraiment en danger ? Oui, mais comment un fou aurait-il su qu'il irait fouiller dans la cache du cimetière ?

Décidément, un élément lui échappe dans cette histoire. Et si la créature mystérieuse de la légende existait ? Celle qui réclame le sang des fillettes. Cette idée lui semble tellement ridicule que Victor la chasse aussitôt. Il jette un œil à sa montre malgré lui. Vingt heures cinquante. S'il doit se passer quelque chose, c'est dans les prochaines minutes.

C'est à ce moment qu'il entend le premier cri :
— Rosa ?

C'est la voix de Marie. D'autres se joignent bientôt à elle.
— ROSA ! ROOOOSAAAA !

Des pas retentissent dans l'escalier qui mène au grenier.
— Tu n'aurais pas vu Rosa, par hasard ? demande Isabelle, le souffle court. On ne la trouve plus.

Le cœur de Victor fait la culbute dans sa cage thoracique. Il fourre le papier avec les coordonnées dans sa poche, attrape le GPS au passage et descend l'escalier en trombe.

CHAPITRE

15

Quand Victor arrive dehors, tout le monde est dispersé sur le terrain et appelle sa petite sœur. Gabrielle court vers lui. Elle a l'air affolé.

— Je suis entrée dans le poulailler pour nourrir les poules. Rosa cueillait des marguerites, juste à côté de la porte. Quand je suis sortie, elle n'était plus là. Je ne comprends vraiment pas ce qui s'est passé.

Les grands-parents remontent l'allée de gravier.

— Je vais voir du côté de la route, dit madame Lachaîne.

— Et moi, à l'étang, déclare son mari.

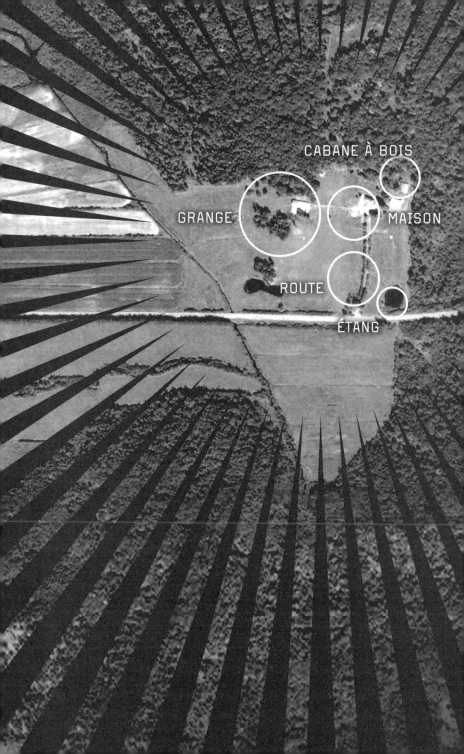

CABANE À BOIS

GRANGE

MAISON

ROUTE

ÉTANG

Victor regarde leurs silhouettes s'éloigner dans le bleu intense du ciel. La nuit ne va pas tarder à tomber. Camille arrive par-derrière, en se mordillant nerveusement le pouce.

— C'est étrange. J'avais l'impression d'entendre marcher au plafond pendant que j'étais dans la grange. Est-ce que l'un d'entre vous est monté pour voir si Rosa était là ?

Gabrielle secoue la tête.

— Non, grand-papa a condamné la pièce jusqu'à ce que le toit soit réparé.

— Peut-être que Rosa s'est cachée là ?

— Ce n'est pas son genre de monter là toute seule, réplique Gabrielle. Elle est beaucoup trop peureuse.

— Il faudrait peut-être aller voir quand même ? suggère Camille avec une moue embarrassée.

— Tu viens avec moi, Gabrielle ?

Gabrielle hausse les épaules, les yeux au ciel, comme si l'inquiétude de sa cousine était ridicule.

— Ce n'est pas le moment d'avoir peur des fantômes.

Victor n'en est plus si convaincu. Au loin, on entend Isabelle qui continue d'appeler Rosa.

— S'il te plaît, supplie Camille.

— D'accord, soupire Gabrielle. Victor, pendant ce temps-là, va voir du côté de la cabane à bois.

Tandis que les deux filles s'éloignent en direction de la grange, le garçon sort le GPS de sa poche. Il se dépêche d'y entrer les coordonnées qu'il a notées sur le papier. Il a à peine terminé que Marie arrive en courant. Elle est au bord de l'hystérie.

— J'ai vu quelque chose bouger dans la forêt ! hurle-t-elle. Je n'ai pas osé y aller, j'ai trop peur !

Elle sautille sur place, comme si elle avait marché dans une toile d'araignée et tentait de s'en débarrasser.

Victor consulte son GPS. Les coordonnées correspondent au boisé d'où vient de surgir sa cousine.

— Je vais chercher une lampe de poche, annonce-t-il en fonçant vers la maison.

Il est de retour quelques secondes plus tard. Le cœur serré, il avance vers le bois, la lampe braquée devant lui. Marie le suit en se rongeant les ongles.

— Sois prudent ! C'est peut-être un ours !

Mais ce n'est pas une bête sauvage que Victor craint de rencontrer. C'est un être humain fou à lier, prêt à faire du mal à sa petite sœur. Plus que quelques pas et il va entrer dans la forêt. Le garçon a beau balayer devant lui avec la lampe de poche, tout ce qu'il voit, ce sont des arbres. Il jette un œil au GPS. Il n'a pas le choix, il doit continuer à avancer.

— N'y va pas ! crie sa cousine quand il franchit la lisière des arbres. C'est peut-être dangereux !

Mais Victor n'écoute pas. Il s'enfonce dans le bois, abandonnant Marie derrière lui. Les branches craquent sous ses pieds. Il fait encore plus noir que sur le terrain autour de la maison.

— Rosa ! appelle-t-il d'une voix si faible que la petite risque d'avoir peur si jamais elle l'entend. Rosa ! reprend-il d'un ton plus ferme.

Rien ni personne ne lui répond. Le garçon balaie de nouveau l'espace autour de lui avec sa lampe de poche. Il a l'impression que toutes les cellules de son corps sont en alerte. Du bout de ses cheveux jusqu'au moindre de ses poils, tout son être tente de repérer le danger.

— Reviens ! hurle Marie depuis l'orée du bois. Rosa ne s'est sûrement pas cachée dans la forêt toute seule !

« C'est justement ça, le problème, pense Victor. Elle n'est peut-être pas toute seule. » Mais il n'a pas le temps d'expliquer ça à sa cousine. Il continue d'avancer dans la direction que lui indique le GPS. Une centaine de mètres le séparent encore de

l'endroit qu'il doit atteindre. Sa gorge se serre. Qu'est-ce qu'il va trouver, rendu là ? Une vision de sa petite sœur ensanglantée lui traverse l'esprit. Il la chasse aussitôt, sinon il va rebrousser chemin en courant. Peut-être que c'est seulement une autre consigne qui l'attend ? L'unique clé qui lui permettra de retrouver Rosa ?

L'obscurité est de plus en plus épaisse autour de lui. C'est maintenant avec peine qu'il distingue les arbres qui se dressent sur son chemin. Le garçon est cerné par la forêt, enveloppé par la noirceur. Et si les fantômes existaient pour de vrai ? Si l'une des sœurs Barnes apparaissait tout à coup, comment réagirait-il ? Les poumons de Victor semblent avoir rétréci. C'est tout juste s'il peut respirer. Mais le garçon refuse de céder à la panique. Il va au moins se rendre jusqu'au point indiqué par le mystérieux mot trouvé devant l'ancienne maison des jumelles Barnes. Il en est capable. Un pas à la fois. Il doit le faire. La vie de sa sœur en dépend.

Il prend une profonde inspiration et, puisant son courage dans sa propre terreur, il appelle sa sœur de toutes ses forces.

— ROSA !

— Je suis là, répond soudain une toute petite voix.

CHAPITRE

16

Le sang de Victor s'arrête tellement brusquement dans ses veines qu'il en voit presque des étincelles.

— Rosa ? murmure le garçon d'une voix rauque. C'est toi ?

Le faisceau de sa lampe de poche balaie la forêt tout autour. Mais le seul spectacle qui s'offre à sa vue, ce sont des troncs et des branches. Pas de trace de sa petite sœur.

— Oui, c'est moi, confirme la voix.

— Où es-tu ?

— Je ne sais pas. Une dame est venue me chercher et m'a dit de me cacher ici pour vous jouer un tour.

— Une dame ? reprend Victor. Quelle dame ?

La voix semble venir de la droite. Le garçon avance de quelques pas pour tenter de se rapprocher d'elle.

— Je ne sais pas. Elle était très, très vieille. Elle s'appelait Lucia ou quelque chose comme ça. Elle voulait que je la suive. Mais j'ai eu peur, à cause de l'histoire d'Isabelle. Est-ce que tu me vois, Victor ?

— Non, il fait trop noir. Continue à me parler, je vais te trouver.

— C'est bizarre, je te vois, moi. Peut-être que j'ai disparu ?

— Comment ça, disparu ? s'étrangle Victor. Tu ne peux pas avoir disparu. C'est juste que je suis éclairé par la lampe de poche et que tu es dans l'obscurité. Dis-moi, es-tu à ma droite ou à ma gauche ?

C'est le silence qui répond.

— Rosa ?

Victor marche dans la direction où il croit avoir entendu sa sœur la dernière fois.

— Rosa ? Parle-moi encore ! ROSA ! Est-ce qu'elle t'a fait du mal, la dame ?

— Elle avait un couteau. C'est bizarre… Je l'ai vue le sortir de son sac, et après je ne me rappelle plus rien. Je crois que je me suis endormie.

La voix est proche, maintenant. Victor le sent. Rosa est tout à côté. Pourtant, elle est toujours invisible.

— J'ai mal au cou, Victor. On dirait que je saigne. Pourquoi tu ne me vois pas ? Je suis juste là, devant toi !

Le garçon a l'impression de devenir fou. La voix de sa sœur est tout près, mais il ne la voit pas. Un frisson d'horreur le traverse. Et si la légende était fondée ? Si les jumelles Barnes avaient tué Rosa et que seule son âme errait maintenant dans la forêt ? Quand il pense que Lucina a tenté de le prévenir et qu'il n'a rien fait pour empêcher les choses ! Tout ça parce qu'il a refusé de croire aux fantômes. Sa sœur est peut-être morte. Et c'est de sa faute. Tout ça est de sa faute.

— Rosa, appelle tout à coup une voix grave depuis les profondeurs de l'obscurité. Viens, Rosa, suis-moi.

Victor tressaille tellement qu'il doit s'appuyer à un arbre. Qu'est-ce que c'était ? Quelle est cette voix d'homme qui vient de surgir au milieu de la forêt ? La créature mystérieuse dont parlait la légende des jumelles Barnes ?

— Qui est là ? parvient à articuler Victor dans un effort suprême pour maîtriser sa terreur.

Si c'est un malade, il est encore temps d'intervenir. Ce n'est pas le moment d'abandonner Rosa et de se sauver à toutes jambes.

— Victor, j'ai peur ! gémit Rosa. Viens me chercher ! Ne me laisse pas avec lui !

Cette fois, c'est clair. Victor en est sûr. La voix vient de quelque part au-dessus de sa tête. Le souffle court, le garçon braque sa lampe de poche vers la cime des arbres. Mais il ne voit que des branches entrelacées et le ciel où des étoiles commencent timidement à apparaître. Comment est-ce possible ?

Son téléphone se met alors à vibrer. Voilà une nouvelle donnée avec laquelle son cerveau en ébullition doit composer. Qui que ce soit, Victor ferait mieux de répondre. Il ne peut plus gérer cette situation tout seul. Il va avoir besoin d'aide.

— Allô ?

— Alors, mon Totor, ça se passe bien, les vacances ?

— Arnaud ?

Victor a le réflexe de se retourner pour regarder autour de lui. Mais il est toujours aussi seul dans le noir.

— Ça va ? Tu ne t'ennuies pas trop, tout seul avec les filles?

S'ennuyer ? Elle est bonne, celle-là. Victor a l'impression d'être plongé dans le rêve le plus absurde et le plus surréaliste de sa vie.

— Qu'est-ce que vous faites en ce moment ? Je parie que vous jouez à la cachette.

Victor s'apprête à tout raconter à son cousin, mais il hésite. Cet appel tombe trop pile. La coïncidence est louche. Si tout ça est une mise en scène orchestrée par Arnaud, Victor ne voudrait pas avoir l'air d'être tombé dans le panneau.

— Eh bien… Euh…

— Quoi ? Qu'est-ce que tu dis ? demande son cousin. Parle plus fort. Je ne t'entends pas bien.

— Pour tout t'avouer, il se passe des choses un peu étranges, ici.

— Ah bon ?

— Je suis en plein bois, en train de chercher ma sœur qui a disparu et...

— Rosa ?

— Oui.

— Ne bouge pas, je viens t'aider.

Victor n'a pas le temps de répliquer qu'Arnaud a raccroché. Le garçon reste là, les bras ballants, à essayer de rattacher les fils de cette histoire sans queue ni tête. Il est tellement décontenancé qu'il en oublie presque d'avoir peur. Puis il voit la faible lueur briller entre les arbres. Quelqu'un s'avance vers lui à grands pas. C'est ça, le truc. C'est Arnaud ! Ce satané Arnaud qui a manigancé tout ça depuis le début.

Mais plus l'individu se rapproche, moins Victor est sûr de son hypothèse. Car ce n'est pas un ado qui avance entre les arbres, précédé d'une faible lueur verte. C'est un homme, large d'épaules. Pas mal plus costaud que son cousin. Et le bruit que font ses pieds en marchant n'a rien de normal.

Des questions fusent dans la tête de Victor. Les fantômes sont-ils capables de trafiquer des voix au téléphone ? Le monstre qui vient vers lui est-il dangereux ? A-t-il un lien avec la légende des jumelles Barnes ? Victor ne veut pas le savoir. Il n'a qu'une envie : se sauver. Mais il ne peut pas abandonner Rosa. Il faut qu'il la retrouve. Et vite ! De sa lampe de poche, il balaie la cime des arbres. Où peut-elle bien être ?

Derrière lui, les pas lourds s'accélèrent. Bientôt, l'immense créature sera sur lui. Il l'entend gronder.
— Rosa !

Encore cette voix grave. Une voix d'homme qui, pourtant, n'est pas tout à fait étrangère à Victor. Il a lu quelque part que les détraqués sont souvent des gens de l'entourage des victimes. Mais même connus, les fous n'en sont pas moins fous. Il lui faut une arme pour se défendre contre le malade. Il doit y avoir une roche, un bâton, quelque chose… Victor recule. Son pied se prend dans une racine. Il essaie de se rattraper, mais il trébuche. Sa lampe de poche lui glisse des mains. Dans son empressement à vouloir la récupérer, il perd l'équilibre et se retrouve étendu de tout son long sur le sol. Au bout du sentier, il aperçoit l'individu qui continue d'avancer vers lui. Il a une grosse tête sur laquelle sont accrochés des trucs qui ressemblent à des cornes. Est-ce une bête ou un humain ? Le garçon saisit une roche et s'apprête à la lancer de toutes ses forces.

— Victor !

C'est Rosa. Le garçon relève la tête malgré lui. À sa grande surprise, sa petite sœur est là, dans un arbre, à quelques mètres au-dessus de lui. Plantée dans une cache de chasseur, Rosa s'éclaire avec une lampe de poche. Un large sourire illumine son visage.

— J'étais bien cachée, hein ?

Malgré l'obscurité, le garçon aperçoit l'échelle rudimentaire, faite de barreaux cloués sur le tronc de l'arbre. Comment cela a-t-il pu lui échapper ?

— Oui, et regarde qui est là, lance-t-elle, tout excitée à l'idée de la surprise qu'elle réserve à son grand frère.

Victor se retourne. Chaussé de ses patins et vêtu de tout son attirail de hockey, Arnaud rigole à quelques pas de lui. Sur son casque, les branches qu'il avait attachées avec du papier collant pendent un peu de travers.

— Je t'avais dit que, si tu avais besoin d'aide, je sauterais dans mes patins et je viendrais à ton secours. Comme d'habitude, tu ne me croyais pas !

Victor se relève, les genoux encore flageolants.

— C'est toi, espèce de traître, qui as monté toute cette histoire ? s'écrie-t-il.

— Qui d'autre peut avoir des idées de génie comme celle-là pour distraire son cousin préféré ?

— Avec la contribution d'Isabelle, précise celle-ci en apparaissant sur la plateforme à côté de Rosa. On n'aurait pas laissé la petite toute seule dans la forêt, quand même.

— Les grands-parents aussi sont dans le coup, ajoute Arnaud, parce qu'évidemment le GPS ne leur appartient pas. C'est celui de mon père.

— Alors, Victor, ça t'a plu, notre jeu ? demande Isabelle en aidant Rosa à descendre l'échelle.

— Vous avez failli me rendre fou, bande de zoufs !

Il est tellement soulagé qu'il en pleurerait.

— You ! hou ! Ça va ? Répondez ! Qu'est-ce qui se passe ?

Camille, Marie et Gabrielle hurlent depuis l'orée du bois qu'elles n'osent pas franchir.

— Elles sont au courant, elles ? demande Victor.

— Non. Il n'y a que nous dans le complot.

— Je pense qu'il y a encore moyen de s'amuser un

peu, lance le garçon qui commence à se remettre de ses émotions. Rosa, tu veux bien t'évanouir ?

— D'accord, minaude la fillette. À condition que tu me portes comme une princesse…

Quelques instants plus tard, Victor sort du bois, sa sœur dans les bras.

— J'ai trouvé Rosa, lance-t-il. Elle s'est évanouie !

Il la dépose par terre. Camille, Marie et Gabrielle s'attroupent autour de la petite. Le garçon prend son air le plus convaincu pour ajouter :

— Quand je suis arrivée près d'elle, j'ai vu une créature étrange qui s'éloignait.

— Arrête, ce n'est pas drôle, l'interrompt Gabrielle. Rosa, réveille-toi !

Elle secoue la petite, qui ne bronche pas.

— Je te jure ! s'écrie Victor. Isabelle, c'est vrai, non ?

— Oui, en plus, j'ai l'impression qu'elle a une cicatrice dans le cou, ajoute la cousine.

— C'est impossible ! murmure Camille. Comme dans l'histoire des jumelles Barnes ?

— Ne les laisse pas t'avoir, rétorque Marie. C'est du bluff. Je les connais. Ils nous font marcher.

— Rendez-la-moi ! hurle une grosse voix en provenance du bois.

La lampe de poche braquée sous le menton, Arnaud se tient à côté d'un grand pin. Son visage éclairé pardessous est méconnaissable. Il a toujours son casque, orné de branches. On dirait vraiment une créature maléfique.

Marie est la première à pousser un cri, aussitôt imitée par Camille et Gabrielle. Les trois filles prennent leurs jambes à leur cou et passent en hurlant devant leurs grands-parents qui lèvent les yeux au ciel. Les cousines ne s'arrêtent que lorsqu'elles entendent le rire d'Isabelle, bientôt suivi de celui des garçons. Rosa jubile.

— Vous ne pourrez plus jamais dire que c'est moi, la plus peureuse, maintenant. Na na na nère !

ÉPILOGUE

Ce soir-là, les cousins et cousines, enfin tous réunis, éclaircissent les derniers coins sombres de l'histoire.

— Comme ça, tu es arrivé hier, toi aussi ? demande Victor à Arnaud.

— Oui, j'ai dormi dans la pièce en haut de la grange.

— Elle n'est pas condamnée pour de vrai ?

— Mais non, c'était pour éviter que tu montes et que tu me trouves.

— Et le camp de hockey ?

— C'est à la fin du mois d'août seulement. Je n'aurais jamais accepté de rater la semaine des cousins, tu le sais bien.

— La barrette dans la cache, c'était toi ?

— Évidemment.

— Le vélo déplacé sur la route ?

— Yep !

— Et comment tu savais quand je partais pour les caches ?

— Isabelle me tenait informé par texto.

— Et ça serait trop te demander de m'expliquer comment tu pouvais arriver avant moi sans que je te voie en vélo sur la route?

— Au lieu de prendre par Russell, j'y allais par le chemin Gould, répond Arnaud, fier de lui.

— Mais ça fait au moins cinq kilomètres de plus ! Tu es pas mal plus en forme que moi !

— Il a un scooter, lance Rosa. Isabelle me l'a dit quand elle m'a expliqué le plan ce matin.

Tout le monde éclate de rire devant l'air dépité d'Arnaud, qui vient d'être dénoncé.

— Même qu'il a promis de m'emmener faire un tour pour mon anniversaire, ajoute la fillette.

Victor montre ses dix doigts.

— Dans dix jours, conclut-il.

— Mais non, patate, rétorque la fillette. C'est dans quatre jours.

— Mais, à la plage, ce matin, on a compté...

— C'était une blague, s'écrie Rosa, les yeux au ciel. Je ne suis pas si jeune. J'ai vraiment presque sept ans !

Une nouvelle vague de rire éclate dans le dortoir.

— Je trouvais, aussi, que la coïncidence était forte ! s'exclame Victor, presque soulagé que les fantômes n'aient plus rien à voir dans l'histoire.

— Je savais que tu tomberais dans le panneau, dit Isabelle en lui lançant un oreiller. Tu es incapable de te rappeler une date d'anniversaire !

— Pas vrai. Je n'oublie jamais le mien, rigole Victor en lui renvoyant l'oreiller.

— Oh ! Arnaud, dernière question, reprend Victor, la fameuse Magali ? Est-ce qu'elle existe pour de vrai ?

— Magali ? hurlent en chœur les cinq cousines. C'est qui ?

Arnaud rougit.

— C'est un nom que j'ai inventé pour...

— Magali ? Ce n'est pas la petite brune du club de *géocaching* de ton école ? demande Isabelle.

— Mais non, bafouille Arnaud. C'est une adresse de courriel que j'ai créée pour...

— Menteur ! crie Marie en lui lançant un oreiller.

— Arnaud a une amoureuse, chantonne Rosa en sautant sur place.

— Ce n'est même pas vrai ! se défend le garçon en propulsant à son tour un oreiller en direction de sa cousine, qui lui retourne aussitôt.

Il attrape l'objet volant fonçant dans sa direction et le renvoie à l'expéditrice, qui se tord de rire.

— Sale traître ! s'écrie Arnaud. Tu m'as vendu !

— Je ne faisais que poser la question, rétorque Victor le plus innocemment du monde.

— Ma vengeance sera terrible ! gronde Arnaud de sa voix qui vient juste de muer.

Six secondes plus tard, il n'y a plus un seul oreiller en place. C'est la bataille générale. Les couvertures volent. Ça piaille, ça crie. Et ça rit. Surtout, ça rit. Ça rit encore quand, épuisés, les cousins s'écroulent les uns après les autres, emmêlés dans les couvertures en désordre.

« Dire que les vacances ne font que commencer », pense Victor.

Il sourit. Encore une fois, elles promettent d'être inoubliables.

LE GÉOCACHING

Le *géocaching*, ou la géocache, est un jeu qui existe réellement. Il a été créé, il y a plus de dix ans, peu de temps après que l'administration américaine eut aboli le brouillage des signaux GPS, jusqu'alors réservés à l'armée. Le 3 mai 2000, deux jours après le débrouillage des ondes, un habitant de l'État de l'Oregon créait une première cache et postait ses coordonnées sur Internet. La géocache venait de voir le jour.

Le jeu est maintenant répandu partout dans le monde. On peut chercher des trésors dans plus de deux cents pays.

Vous trouverez tous les détails sur les règles et l'emplacement des caches sur le site de l'association Géocaching Québec, à l'adresse suivante : geocaching-qc.com

Il y a vraiment une cache camouflée dans le petit cimetière Barnes, à Frelighsburg. Les coordonnées qui figurent dans ce livre vous permettront de la trouver.

Voici un indice pour vous aider :
FV IBHF CNFFRM QNAF YR PBVA...

Nous remercions la Société d'histoire de Missisquoi, qui nous a gentiment autorisés à installer cette cache.

N'oubliez pas les règles fondamentales du jeu : s'amuser et respecter l'environnement et la propriété privée.